12.95

Dirección editorial: María Castillo
Coordinación técnica: Teresa Tellechea

© De la adaptación y de las ilustraciones: Ana López Escrivá, 1999
© Ediciones SM, 1999 - Joaquín Turina, 39 - 28044 Madrid

Comercializa: CESMA, SA - Aguacate, 43 - 28044 Madrid

ISBN: 84-348-6800-8
Depósito legal: M-3589-1999
Impreso en España / *Printed in Spain*
COYVE, SA - Avda. de Córdoba, 21 - Madrid

PULGARCITA

Adaptación e ilustración
Ana López Escrivá

ediciones **sm** Joaquín Turina 39 - 28044 Madrid
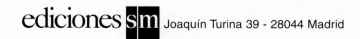

Había una vez una mujer que deseaba tener un hijo pero no sabía adónde ir a buscarlo. Al fin, decidió ir a ver a una vieja bruja.

Se fue a casa y sembró y cuidó la semilla tal y como le había dicho la vieja bruja. Al poco tiempo, creció una preciosa flor. Un día, la flor se abrió.

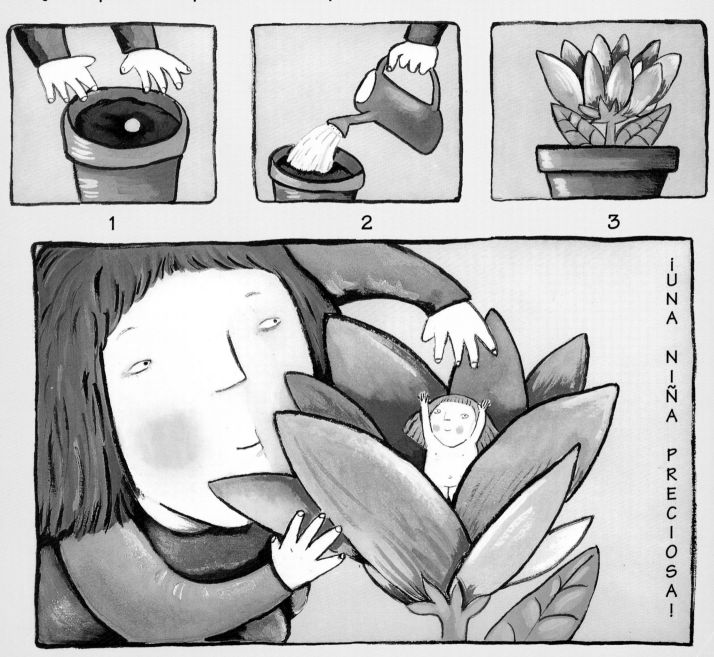

1

2

3

¡UNA NIÑA PRECIOSA!

Como no era mucho más grande que el dedo pulgar de una mano, su mamá la llamó Pulgarcita.

Un día, mientras Pulgarcita dormía, un sapo entró por la ventana que estaba rota...

... y se la llevó.

A la mañana siguiente, cuando Pulgarcita se despertó,
se encontró flotando sobre un nenúfar en el centro de un arroyo.

El sapo la había puesto allí para que no pudiera escaparse.

Pero los pececitos, que habían oído al sapo,
sintieron mucha pena por Pulgarcita.

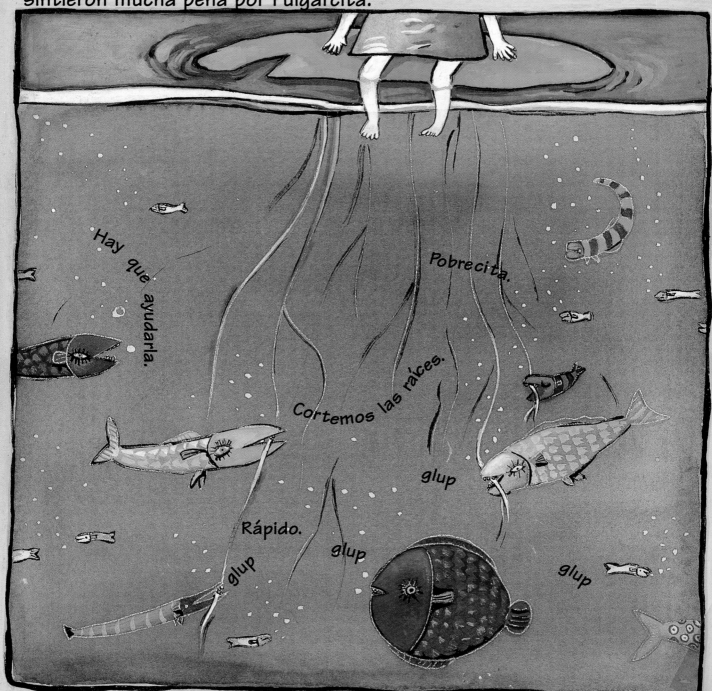

Y cuando cortaron las raíces del nenúfar...

...Pulgarcita se fue flotando en su barca-hoja arroyo abajo.

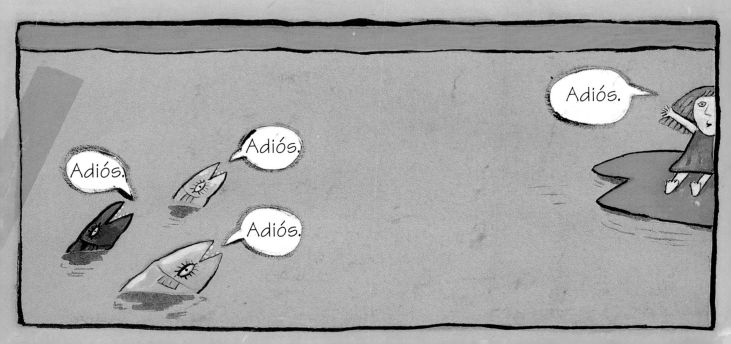

Cerca del arroyo revoloteaba una mariposa.
Pulgarcita cogió una crin de caballo
que flotaba en el río y ató un extremo a la
mariposa y el otro a la hoja.

El abejorro depositó a Pulgarcita en un árbol y le dio de comer y de beber.

Toma, este néctar es muy nutritivo.

Luego llegaron otras abejas para ver a Pulgarcita.

La depositó sobre una margarita y se fue.
Pulgarcita lloró al
encontrarse tan sola.

Pero pronto oyó cantar a las golondrinas. En compañía de los pájaros Pulgarcita pasó un verano feliz.

¡Qué bien se está aquí!

Y llegó el otoño. Los pájaros se fueron y las hojas de los árboles comenzaron a caer.

¡Qué divertido!

Y por fin llegó el invierno. La nieve caía y hacía mucho, mucho frío.

¡Qué frío tengo!

La vieja rata se apiadó de Pulgarcita y la invitó a pasar el invierno con ella, pero con dos condiciones.

Así pasó el tiempo Pulgarcita en casa de la rata. Un día, la rata invitó a merendar a su vecino, el señor Topo.

El topo era el más rico de la región y además le gustaban mucho los cuentos, así que él y la vieja rata acordaron que se casaría con Pulgarcita al llegar la primavera.

El topo invitó a Pulgarcita y a la rata a visitar su casa,
a la que se llegaba a través de un túnel
que había excavado hacía poco tiempo.

Llegó la noche y Pulgarcita no podía dormir
pensando en la golondrina que yacía en el túnel.
Así que se levantó y cogió
una manta para
taparla.

Entonces, Pulgarcita se puso muy contenta.

Está helada, pero su corazón
todavía late.

Pulgarcita iba al túnel todos los días para cuidar a la golondrina.

Hasta que un día la golondrina se curó.

Pasó el tiempo. Pulgarcita echaba de menos a la golondrina y pasaba los días haciendo los preparativos para la boda con el topo.

Pero yo no me quiero casar con el señor Topo. A mí me gusta correr por el campo, ver el sol y oír cantar a los pájaros.

Llegó la primavera y el día de la boda. Pulgarcita, que estaba muy triste, decidió subir a la superficie para ver el campo por última vez.

La golondrina había ido a buscar a Pulgarcita y la invitó a subir a ella.

Pulgarcita
y la golondrina volaron
y volaron hasta llegar
al país de las flores,
donde el rey se enamoró
de Pulgarcita al instante.

¡Qué linda niña!
Creo que estoy
enamorado.

Pulgarcita y el rey de las flores se casaron… y juntos se fueron a recorrer mundo y a visitar a la mamá de Pulgarcita (que, seguramente, se había quedado algo preocupada). FIN.